Dados Internacionais de Catalogação na Publicação (CIP)
Angélica Ilacqua CRB-8/7057

Gonzalez, Marina
    Tibúrcio / Marina Gonzalez ; ilustrações
de Veridiana Scarpelli. –– Barueri, SP :
Girassol, 2020.
    48 p. : il., color.

ISBN 978-65-5530-100-7

1. Literatura infantil 2. Finanças - Literatura
infantil 3. Dinheiro - Literatura infantil
I. Título II. Scarpelli, Veridiana

20-2163   CDD-028.5

Índices para catálogo sistemático:

1. Literatura infantil   028.5

© 2020 do texto por Marina Gonzalez
© 2020 das ilustrações por Veridiana Scarpelli

Publicado por
GIRASSOL BRASIL EDIÇÕES EIRELI
Al. Madeira, 162 – 17º andar
Sala 1702 – Alphaville
Barueri – SP – 06454-010
leitor@girassolbrasil.com.br
www.girassolbrasil.com.br

Direção editorial: Karine Gonçalves Pansa
Coordenação editorial: Carolina Cespedes
Assistente editorial: Talita Wakasugui
Diagramação: Thiago Nieri

É vedada a reprodução deste conteúdo sem prévia autorização da autora.
Todos os direitos reservados.

TIBÚRCIO

MARINA GONZALEZ
iLUSTRAÇÕES de **VERIDIANA SCARPELLI**

Ter dinheiro é muito bom,

mas com ele se compra de tudo?

Compra não! Compra não!

Chuteira e boneca? Compra sim!

Amigos pra brincar? Compra não!

Brinquedo tem dentro da loja,

amigos, dentro do coração.

E um cachorro, o dinheiro compra?

Compra sim! Dinheiro é bom!

E passear, cuidar, fazer carinho?

Dinheiro faz isso? Faz não!

A gente é que dá colo, comida

e passa a mão!

E um burro, um cavalo?

Dinheiro compra também?

Compra sim! É só ir a um leilão...

Um lugar no campo, cheio de gente,

que compra e vende o bichão.

TEM CAVALO, BOI, PORCO, CABRITO,
FAZENDEIROS QUE GOSTAM DO MATO E MAIS.
TEM FESTA QUE ANIMA O POVO DA ROÇA,
O POVO DA CIDADE QUE VISITA
E SE DIVERTE COM A NATUREZA
E OS ANIMAIS.

Mas e o dinheiro?

Onde entra nessa história?

Tem a ver com o Tibúrcio,

burro trabalhador e companheiro.

Tibúrcio morava num sítio, na roça,
cercado de morros verdes.

Com seu melhor amigo,
o cavalo Sete Belo, pensava:
"Não há vida melhor do que
esta nossa."

Era um bicho bem tratado.

Seu dono era seu amigo.

Andavam nas estradas de terra

de chão batido.

Pelos pastos, mundo afora,

passeavam juntos pelo campo colorido.

Mas e o dinheiro?
Onde entra nessa história?

Entra no bolso furado do dono,
que não sabia poupar.
Ele ficou sem nada,
nem um tostão pra contar.

Logo pensou: "Vou vender o Tibúrcio

na festa de São João.

Esse burro vale ouro no leilão."

O burro era grande e forte,

filho de égua e jumento.

Um fazendeiro daria com gosto

bom valor pra ajudar no orçamento.

E lá se foram para o leilão:

Tibúrcio e seu dono orgulhoso.

A plateia admirava o burrão,

dando lances de montão.

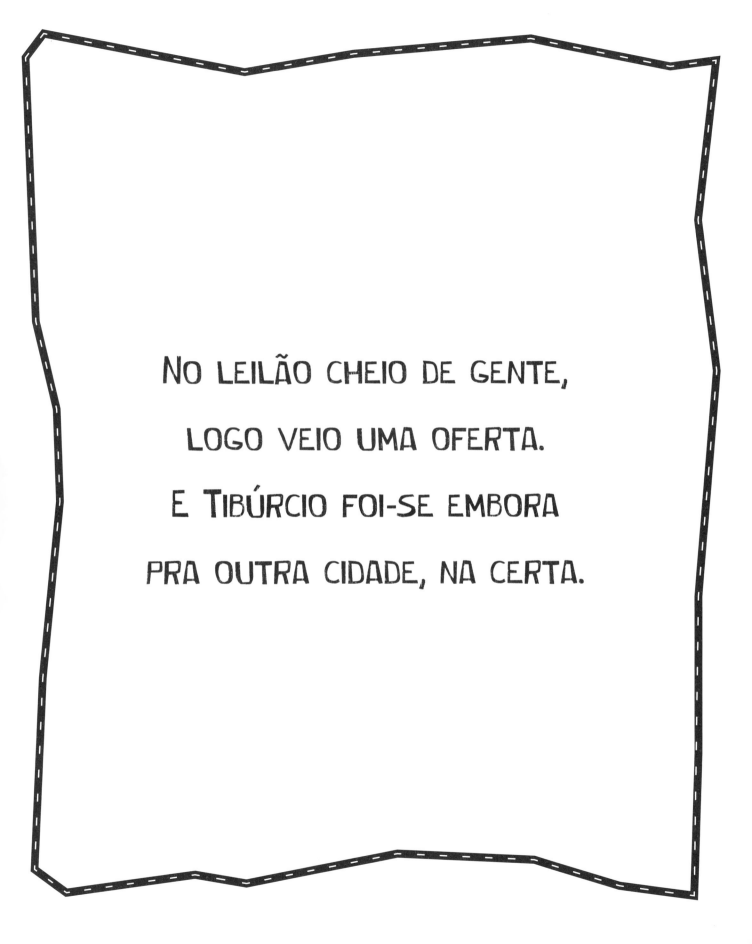

No leilão cheio de gente,

logo veio uma oferta.

E Tibúrcio foi-se embora

pra outra cidade, na certa.

E seu dono ficou triste
mesmo cheio de dinheiro,
porque não tinha mais Tibúrcio,
animal tão querido e parceiro.

MAS E O DINHEIRO, NÃO É BOM?

SIM! DINHEIRO É BOM!

MAS ÀS VEZES NÃO TRAZ FELICIDADE,

SÓ SATISFAÇÃO.

E QUANDO SE VIU TÃO SOZINHO,

SEM TIBÚRCIO PRA CAVALGAR,

PELA ESTRADA DE TERRA

SEU DONO SAIU A PROCURAR.

Depois de muito pelejar,

comprou de novo o Tibúrcio

mais caro do que vendeu.

Ainda pagou o carreto

que o trouxe de volta ao lar.

E ASSIM TERMINA ESSA HISTÓRIA

DE UM BURRO MUITO AMADO,

QUE VIVIA NUM SÍTIO VERDE

COM SEU DONO, AMIGO E ALIADO.

Mas e o dinheiro? O dono ficou sem?
Ficou nada!
Trabalhou na colheita e vendeu
todo o milho. Sorte danada!

Tibúrcio, burro bom na lida,
carregou tudo com alegria,
mostrando que a união
faz a força na vida.

O SITIANTE GANHOU DINHEIRO

E APRENDEU A POUPAR.

FICOU COM TIBÚRCIO, AMIGO QUE VALE OURO,

PORQUE DOS DOIS SOUBE CUIDAR!

TUDO PODE SER BOM QUANDO

A GENTE TEM CUIDADO.

CUIDAR DO DINHEIRO QUE VAI E VEM.

CUIDAR DAS PESSOAS, AMIGOS E ANIMAIS

QUE A GENTE QUER BEM.

A AUTORA

Marina Gonzalez nasceu e mora em São Paulo. Formada em Comunicação Social, foi publicitária e desde 2000 atua como produtora cultural de exposições e livros de arte realizados pela Comg Editora. Admira e valoriza a cultura e história do nosso Brasil.

A ILUSTRADORA

Veridiana Scarpelli nasceu e mora em São Paulo. Formada em Arquitetura e Urbanismo pela Universidade de São Paulo, em 2007 deixou de lado o desenho de objetos e móveis para fazer ilustrações. Já ilustrou livros, revistas e jornais. É autora do livro "O sonho de Vitório".

AGRADECIMENTOS

Angela Aranha

Carolina Cury

Ivonne Olmo

Rosana Amá Brusco

Marília Machado Gonzalez

Paulo Gonzalez

Paulo Gonzalez Neto